P9-DWB-809

Título original: I'M TELLING THE TRUTH

Publicado originalmente por Hodder and Stoughton Limited,
un sello de Hodder Headline Group, Gran Bretaña.

Provença, 101 - 08029 Barcelona
info@editorialjuventud.es
www.editorialjuventud.es

Traducción: Maria Lucchetti Bochaca
Primera edición, 2008
Depósito legal: B. 13.718-2008
ISBN 978-84-261-3653-4
Núm. de edición de E. J.: 11.094
Printed in Spain
S. A. de Litografía, c/ Ramón Casas, 2 (Badalona)

Yo no he sido

HABLEMOS DE LA SINCERIDAD Y LA HONRADEZ

PAT THOMAS
con ilustraciones de LESLEY HARKER

editorial juventud
Barcelona

Si te dijeran que el cielo es amarillo,
o que las ranas tienen alas, sabrías que
no te estaban diciendo la verdad.

La mayoría sabemos la diferencia entre lo que es verdad y lo que no lo es. Y la mayoría sabemos lo importante que es decir la verdad.

Las personas mienten por muchas razones.
Algunas veces es porque se sienten avergonzadas de algo,
o porque quieren impresionar
a otras personas.

Algunas personas dicen mentiras para conseguir cosas que desean pero que en realidad no merecen.

¿Y tú?

¿Conoces a alguien que no sea sincero?
¿Quizás un personaje de un cuento, o alguien real?
¿Qué les ha sucedido?

Hay que practicar
para ser sincero.

No siempre resulta fácil encontrar
un modo agradable de decir
la verdad sin herir los
sentimientos de los demás.

Recuerda que las personas que te quieren siempre te agradecerán que les digas la verdad, incluso si no coincide con lo que esperaban.

Pero a veces, si no se te ocurre nada amable para decir,
es mejor que no digas nada.

A menudo, las personas dicen mentiras cuando temen tener problemas.

Pero mintiendo sólo consigues sentirte peor.

Cuando has dicho una mentira te puedes sentir preocupado y nervioso por si alguien te descubre.

Si dices la verdad, te sentirás mejor contigo mismo.

Aprender a ser sincero te hace sentir más seguro y valiente.

Y tendrás menos problemas
si dices la verdad que si mientes
y te descubren.

A veces, lo importante
no es lo que dices
sino lo que haces.

Si quieres ser
realmente honrado,
no debes tomar
nunca nada
que no te
pertenezca.

También es importante tener palabra.

Si te comprometes a hacer algo, debes hacerlo.

También puedes
demostrar tu honradez
diciendo lo que piensas,
cuando ves algo que
no está bien...

... y compartiendo con los demás tus verdaderos pensamientos y sentimientos.

Aunque a veces resulte difícil,
merece la pena ser sincero.

Si dices la verdad, todo el mundo
sabrá lo que realmente ha sucedido.

Nos ayuda a evitar malentendidos
para que no echen las culpas a quien no las tiene.

¿Y a ti?

¿Alguna vez te han echado las culpas por algo que no habías hecho? ¿Había alguien que podía haberte ayudado si hubiera contado la verdad?

Las personas que no son sinceras se van quedando sin amigos.

Porque los amigos necesitan poder confiar los unos en los otros.

Nadie puede confiar en alguien
que no se comporta honradamente
o que dice cosas que no
son verdad.

A todos nos gusta rodearnos de personas que dicen la verdad y que tienen palabra.

Si todos somos honrados, el mundo se convierte
en un lugar más justo y más agradable para vivir.

GUÍA PARA UTILIZAR ESTE LIBRO

Enseñar a ser sinceros y responsables requiere tiempo y paciencia. No es lo mismo que enseñar a los niños a atarse los zapatos, algo que captan en unas pocas lecciones. Hay que encontrar la manera de fomentar en el niño el deseo de hacer lo que está bien, de valorar la sinceridad, de decir lo que piensa y de actuar con integridad y buena voluntad.

Enseñamos a nuestros hijos a ser sinceros siéndolo nosotros mismos. No mintáis a los niños, ni siquiera sobre temas delicados como la enfermedad, la muerte o el divorcio. Es mejor admitir que hay cosas que son difíciles de explicar que intentar esconderlas. También es bueno que los niños vean cómo abordáis vosotros cuestiones relacionadas con la integridad y la honradez.

Felicitad al niño que se comporte de un modo honrado y responsable. Cuando veáis la televisión o leáis libros, aprovechad la ocasión para señalar y hablar sobre ejemplos de conductas honradas. Utilizad los apartados «¿Y tú?» e «¿Y a ti?» de este libro para hablar con los niños sobre ejemplos de conductas sinceras y sobre las consecuencias de las mentiras.

Si vuestro hijo dice mentiras o se comporta de un modo que no es honrado, averiguad por qué. Principalmente, los niños mienten para librarse de un castigo y hacer cosas prohibidas. Seguramente, cuanto más duros sean los castigos, más motivado estará el niño para no reconocer que ha hecho algo malo. En lo posible, dejad que el niño vea las consecuencias naturales de su acción. Por ejemplo, si se lleva algo de una tienda sin pagarlo, debe ser él quien lo devuelva y se las vea con el tendero.

En las escuelas que tienen códigos de honor y donde los maestros y maestras hablan abiertamente sobre los engaños, los niños hacen menos trampas en los aspectos académicos. En clase, los maestros y los niños pueden plantear y comentar todas las excusas y razones que las personas ofrecen cuando dicen mentiras, cuando hacen trampas, cuando roban. ¿Qué valor tienen? ¿Qué falla en cada una de ellas? ¿Qué alternativas hay?

Cuando los niños aprenden a decir la verdad, pasan a menudo por una fase en que se vuelven cotillas. Para los padres y madres que están muy ocupados y para los maestros, puede resultar algo frustrante. Aun así, este cotilleo y la respuesta de los adultos es el principio de un proceso de discriminación y de autosuficiencia. Si se trata de la manera adecuada, los adultos pueden ayudar a que los niños «cotillas» empiecen a resolver los problemas por sí mismos sin recurrir a una autoridad externa a cada momento y para cada cosa.

LECTURAS PARA NIÑOS

Winnie the Pooh. Alguién está mintiendo, ¿y ahora qué hacemos?
Betty Lona (Bestselia/Planeta)

Caray ¡qué lista es mi madre!
R. Alcántara (Combel)

Una mentira gordísima
M. W. Sharmat

Las aventuras de Pinocho
Carlo Collodi
(Editorial Juventud)

Pat Garret y Billy el niño nunca tuvieron novia
R. Santiago (Edebé)

Pedro y el lobo

LECTURAS PARA ADULTOS

¡No he dicho ninguna mentira! Cómo tratar la mentira y la verdad
Heike Baum (Oniro)

Aprender normas y límites
Kast-Zahn, A. (Médici)